Les Femmes en Blanc

PINCES, SANG, RIRES

Les Femmes en Blanc

PINCES, SANG, RIRES

Dessin: Bercovici / Scénario: Cauvin

PRESSES POCKET

ISBN 2-266-05201-2

Quand elles revendiquent

DES SOUS !
JE DOIS ALLER PRENDRE MON SERVICE !
EUH... AH BON...

OPITAL
PFF PFF PFF PFF
OUF ! J'Y SUIS !

AH ! QUAND MÊME !
EXCUSEZ-MOI, JE N'AI PAS VU LE TEMPS PASSER...

OÙ SONT-ELLES MAINTENANT ?
JE LES AI QUITTÉES RUE DE TOURNELLE ! ELLES PRENAIENT LA DIRECTION DE LA BASTILLE !

ET N'OUBLIEZ PAS ! SERVICE MINIMUM !
SORTIE
JE SAIS ! JE SAIS !

BON ! OÙ EN SOMMES-NOUS ?

BLOC OPÉR

JE SUIS LÀ, DOCTEUR !
AH ! ENFIN !

NOTEZ QUE JE N'AI RIEN CONTRE LE FAIT QUE VOUS MANIFESTIEZ POUR REVENDIQUER VOS DROITS...
PINCES !
MOI NON PLUS ...

MAIS TOUT DE MÊME, UNE SEULE INFIRMIÈRE POUR TOUT UN HÔPITAL, C'EST PEU...
TAMPONS !
OH BEN OUI, ALORS !

NOUS AVONS TENU À ASSURER UN SERVICE MINIMUM...
AH ÇA, POUR ÊTRE MINIMUM...
IL EST MINIMUM!

DRRIIING! DRRIIING!
ÉCARTEURS!
EXCUSEZ-MOI ! IL FAUT QUE JE RÉPONDE AU TÉLÉPHONE!

ZZZZZZZ
FLAP
FLAP

DRRIING
ALLÔ? OUIII... OÙ ÇA? JE VOUS ENVOIE UNE AMBULANCE!

DRRIING...
TRAMP TRAMP
MINUTE!

RUE DE LA MOULINETTE ?...
OUI ! UN TYPE QUI EST TOMBÉ DU CINQUIÈME ÉTAGE !

PARFAIT ! ÇA NOUS ÉVITERA DE NOUS TAPER L'ESCALIER ! TU VIENS, PAULO ?
DRIIING
MINUTE, QUOI !

DRI...
QUOI ?! QU'EST-CE QUE VOUS VOULEZ ?
MOI ? JE EUH... LE BASSIN ...
S'IL VOUS PLAIT.

EEEH! QU'EST-CE QUE J'EN FAIS QUAND J'AURAI FINI ?
GARDEZ-LE EN SOUVENIR !

ME REVOILÀ, DOCTEUR !

CISEAUX !
CISEAUX !

DRRIIING !
EXCUSEZ-MOI !...
ENCORE ?

QUAND EST-CE QU'ON MANGE DANS CET HÔPITAL ?
!
UN SANDWICH AU JAMBON !? IL N'Y A RIEN D'AUTRE ?
SERVICE MINIMUM !
PLAF !

VOUS VOULEZ QUE JE VOUS DISE ? JE COMMENCE À EN AVOIR RAS LE POPOTIN !

ET... QU'EST-CE QUE VOUS FAITES DANS LA VIE ?
M...MOI ? JE...JE TRAVAILLE AUX CHEMINS DE FER, POURQUOI ?
?

PARCE QUE, QUAND ON BLOQUE LES TRAINS EN GARE PENDANT DES SEMAINES, ET CE DIX FOIS PAR AN, ON N'A PAS DE LEÇONS À DONNER, VU ?!
AÏE !
MADEMOISELLE LOUPETTE ! CONTRÔLEZ-VOUS, VOYONS...

SLAM
À MON AVIS, VOUS L'AVEZ VEXÉE !

QUI C'EST CELUI-LÀ ?
BEN... LE TYPE QUI EST TOMBÉ DU CINQUIÈME ÉTAGE !

EH BIEN, IL TOMBE MAL ! METTEZ-LE EN ATTENTE AVEC LES AUTRES !

SI ÇA VA DURER LONGTEMPS ? JE N'EN SAIS RIEN ! IL Y A UNE OPÉRATION EN COURS DEPUIS HIER SOIR ET ELLE N'EST PAS ENCORE TERMINÉE !
JE N'AI RIEN CONTRE LES GRÈVES, MAIS TOUT DE MÊME...

CHHHT ! TAISEZ-VOUS, MALHEUREUX ! ELLE POURRAIT VOUS ENTENDRE !
...ET VOUS RÉTROGRADER DE LA 9E À LA 17E PLACE !

AH ! TOUT DE MÊME !
EXCUSEZ-MOI, JE N'AI PAS VU LE TEMPS PASSER...

OÙ EN EST LA MANIFESTATION ?
ELLE SE DIRIGE VERS LA PLACE DE L'ÉTOILE !

ET N'OUBLIEZ PAS ! SERVICE MINIMUM !
JE SAIS ! JE SAIS !

AUGMEN... ON VEUT DES SOUS
GILBERTE, N'OUBLIEZ PAS L'HEURE !

NON, NON ! JE MANIFESTE ENCORE DIX MINUTES ET J'Y VAIS !
ET APRÈS, À QUI C'EST ?
À MOI ! JE PARTIRAI DÈS QU'ON ARRIVERA AU TROCADÉRO !
MARCOVICI · CAUVIN 89

Errare humanum est

VEUILLEZ ATTENDRE DEHORS, MADAME ! C'EST L'HEURE DES SOINS !

NE VOUS INQUIÉTEZ PAS POUR MOI, MADEMOISELLE ! MON MARI ET MOI SOMMES MARIÉS DEPUIS 28 ANS ! CE N'EST PLUS UNE SURPRISE POUR MOI DE LE VOIR DANS LE PLUS SIMPLE APPAREIL ! HIHIHI !
EUH ! DANS CE CAS !...

?

!!!

ÇA Y EST ! ELLE S'EST SENTIE MAL ! C'ÉTAIT À PRÉVOIR ! ALLEZ DONC VOIR SI ELLE N'A BESOIN DE RIEN, ÉLOÏSE !
J'Y VAIS...
CLAP !!

ALORS?
CE N'EST PAS CE QUE VOUS CROYEZ ...

ELLE S'ÉTAIT SIMPLEMENT TROMPÉE DE CHAMBRE ...

Il n'y a plus d'âge

DES CENTAINES D'EXPÉRIENCES SCIENTIFIQUES PROUVENT QU'UN BÉBÉ, BIEN AVANT D'ÊTRE NÉ, POSSEDE DÉJÀ UNE OUÏE ...
TU ENTENDS ÇA, CHÉRIE ?!

DONC, IL PEUT RÉAGIR AUX BRUITS! VOTRE VOIX, PAR EXEMPLE...
HOUHOOUUU! C'EST PAPA ICI!

IL... IL A BOUGÉ!
HAHA! INCROYABLE!

MAIS IL Y A MIEUX ! VOTRE BÉBÉ PEUT AUSSI TRÈS BIEN RÉAGIR À LA MUSIQUE !
NOOOOOOON ?..

SI ! ET JE LE PROUVE ! VENEZ VOUS ÉTENDRE ICI, MADAME ! DÉTENDEZ-VOUS ! SOYEZ PARFAITEMENT DÉCONTRACTÉE !
?

LÀ ! JE DÉPOSE UN PETIT MICRO SUR VOTRE VENTRE...
QUANT À VOUS, MONSIEUR, METTEZ CES ÉCOUTEURS, VOUS ENTENDREZ MIEUX..

ET MAINTENANT, ÉCOUTEZ ;

TINO ROSSI, VOUS AIMEZ ?
BAH, POURQUOI PAS ?

OOOH CATARINA MA BEEELLE....
CRTCH

TU ES VRAIMENT LA PLUS BEEELLE...
TCHI TCHI

COMME TU ÉTAIS BELLE EN CE TEMPS-LÀÀÀ
TCHI TCHI

CLIC
ALORS ?
HAAA ! HAAA !

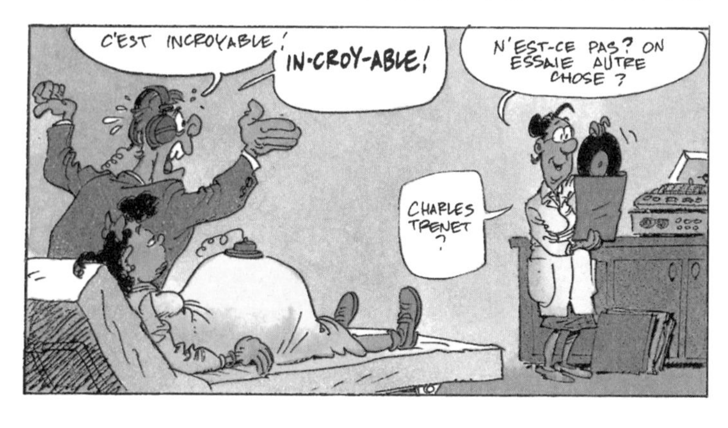
C'EST INCROYABLE !
IN-CROY-ABLE !
N'EST-CE PAS ? ON ESSAIE AUTRE CHOSE ?
CHARLES TRENET ?

Y'A D'LA JOIE, BONJOUR BONJOUR LES HIRONDELLES
CLAP CLAP
CLAP CLAP
INCROYABLE ...

VOUS N'AURIEZ RIEN DE PLUS RÉCENT ?
MAIS BIEN SÛR ! QUE VOULEZ-VOUS ÉCOUTER ? LES BEATLES ? PRINCE ? BOMB THE BASS ?
NOËL 64

J'AI MÊME DE LA MUSIQUE CLASSIQUE ! TENEZ ! VOILÀ DU MOZART !
AH !

ON... ON N'ENTEND RIEN !
MA FOI...

C'EST NORMAL ! ON NE S'EXTÉRIORISE PAS BRUYAMMENT SUR CE GENRE DE MUSIQUE ! ON L'ÉCOUTE PRESQUE RELIGIEU-SEMENT !
AIMEZ-VOUS BRAHMS ?
ON... ON DIRAIT QU'IL SANGLOTE !
NE VOUS INQUIÉTEZ PAS ! TOUT LE MONDE N'AIME PAS BRAHMS !...

TIENS !
PTOÏNG
UN DISQUE DE JULIO IGLÉSIAS !

À LA FAÇON DONT IL VA RÉAGIR, NOUS N'AURONS PAS BESOIN D'UNE ÉCHOGRAPHIE POUR SAVOIR SI VOTRE BÉBÉ SERA UN GARÇON OU UNE FILLE...

NOON, ZE N'AI PAS CHANGÉÉÉ... GNA GNA GNA...

GNA GNA GNA GNA GNAAAAA.....
AÏE?
?

AÏE AÏE! OUH! AÏÏÉE OUILLE!
DOCTEUR!..
AIDEZ-MOI À LA TRANSPORTER DANS LA SALLE D'ACCOUCHEMENT, VITE!..
AÏE AÏE AÏE AÏE AÏE

NOOON! AUCUNE INQUIÉTUDE À AVOIR! ELLE EST NÉE QUELQUES JOURS AVANT TERME, MAIS CROYEZ-MOI, ELLE EST EN EXCELLENTE SANTÉ !...
MAIS ENFIN, DOCTEUR ... QUE S'EST-IL PASSÉ ?...

JE SAVAIS QUE CE CHANTEUR AVAIT BEAUCOUP DE SUCCÈS AUPRÈS DES FILLES, MAIS TOUT DE MÊME, À CET ÂGE-LÀ, JE N'AURAIS JAMAIS CRU...
3
85

Ça ne coûte rien d'essayer

PAR ICI, SUIVEZ-MOI ! EXCUSEZ-NOUS, C'EST UNE URGENCE !

DOCTEUR ZWANG PÉDIATRE

NON, MADEMOISELLE ! CE N'EST PAS PARCE QUE C'EST LE FILS DE VOTRE BELLE-SŒUR QUE ÇA LUI DONNE LE DROIT DE PASSER AVANT...

...LES AUTRES ! À LA QUEUE COMME TOUT LE MONDE

BEN QUOI ! ON PEUT TOUJOURS ESSAYER, NON ?...
EURP

DOCTEUR
ZWANG
PÉDIATRE
04
B-C·

L'affreux est dans le sac

EUH... AHEM.., QU'EST-CE QUI NE VA PAS ?
VOUS ALLEZ COMPRENDRE, DOCTEUR !

AAAAAAAAAA IIIIIIIIIIII
ET VOILÀ !..

D... DOCTEUR ! J'AI DÉJÀ VU DES CHOSES LAIDES !... MAIS C... COMME ÇA, JAMAIS !
JE... J'AVOUE QUE C'EST... EUH... SURPRENANT !
COMME VOUS DITES ! JE ME FAIS PEUR À MOI-MÊME, C'EST TOUT DIRE...

DITES-MOI ! QU'EST-CE QUE JE PEUX FAIRE POUR VOUS ?
MOI ? ME FAIRE UN VISAGE HUMAIN...
84 1.

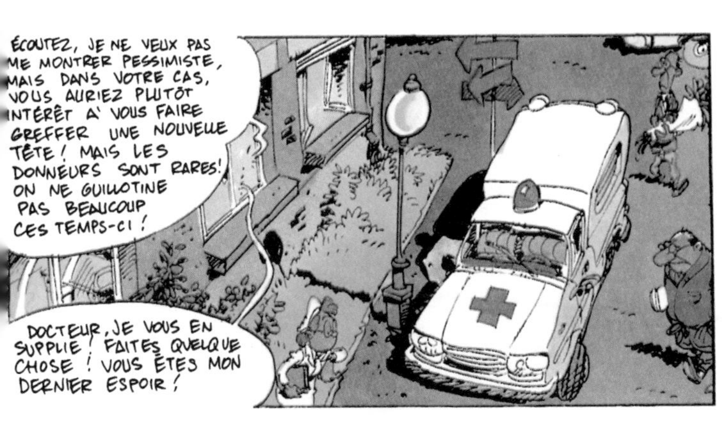
ÉCOUTEZ, JE NE VEUX PAS ME MONTRER PESSIMISTE, MAIS DANS VOTRE CAS, VOUS AURIEZ PLUTÔT INTÉRÊT À VOUS FAIRE GREFFER UNE NOUVELLE TÊTE ! MAIS LES DONNEURS SONT RARES ! ON NE GUILLOTINE PAS BEAUCOUP CES TEMPS-CI !
DOCTEUR, JE VOUS EN SUPPLIE ! FAITES QUELQUE CHOSE ! VOUS ÊTES MON DERNIER ESPOIR !

AH ! PARCE QUE VOUS VOUS ÊTES DÉJÀ ADRESSÉ AILLEURS ?
BIEN SÛR !
ET...
ÉCHEC SUR TOUTE LA LIGNE !

JE...
MESDEMOISELLES ! QU'EST-CE QUE ÇA SIGNIFIE ?
JE... JE.. VOULAIS LEUR FAIRE VOIR, DOCTEUR ! SI JE LEUR AVAIS RACONTÉ, ELLES NE M'AURAIENT JAMAIS CRUE !
DITES !
VOUS VOULEZ BIEN ?

OOOH ! VOUS N'AVEZ PAS HONTE ?
LAISSEZ, DOCTEUR, PUISQU'ELLES INSISTENT SI GENTIMENT...

BWERK !

C'EST... C'EST COMME ÇA DEPUIS VOTRE NAISSANCE ?
GHISLAINE ?
TU PEUX ROUVRIR LES YEUX !

COMME ÇA ! QUAND L'ACCOUCHEUR M'A DÉPOSÉ DANS LES BRAS DE MA MÈRE AVANT DE SAUTER PAR LA FENETRE ...
IL A REMIS SON SACHET, JE TE DIS !

... LA MALHEUREUSE A EU UN ARRÊT DU COEUR ...
2/84

MON PÈRE, QUANT À LUI, S'EST ENFUI QUELQUE PART EN AMÉRIQUE DU SUD ET ON NE L'A JAMAIS REVU ...
RHAÂÂÂ
INTERNATIONAL DEPARTURES

ON A ENSUITE VOULU ME PLACER DANS UN PENSIONNAT... IL S'EST AUSSITÔT VIDÉ DE TOUS SES PENSIONNAIRES...
BWEEEEERK!

J'AI DÉCIDÉ PAR LA SUITE DE M'ÉLEVER TOUT SEUL ! J'AI CONSTRUIT UNE PETITE CABANE AU FOND D'UN BOIS ET JE ME SUIS NOURRI DE MÛRES ET DE BAIES SAUVAGES...
JA... JAMAIS D'UNE CAILLE OU D'UN PERDREAU ?

IMPOSSIBLE ! ILS FUYAIENT TOUS À MON APPROCHE !
ET MAINTENANT ?
TOOOT

J'AI QUAND MÊME FINI PAR DÉGOTTER UN EMPLOI...
AH ! TOUT DE MÊME !

JE TRAVAILLE DANS LES ÉGOUTS ! MA SEULE PRÉSENCE FAIT FUIR LES RATS...
BOUH !
IIIIIIK
IIIIIIIIK
IIIIIIIIK

ÉCOUTEZ... JE...JE DOIS ÊTRE FRANC AVEC VOUS ! POUR TENTER DE VOUS REFAIRE UN VISAGE NEUF, IL ME FAUDRAIT DES MÈTRES ET DES MÈTRES DE PEAU ! AUTANT VOUS LE DIRE TOUT DE SUITE, C'EST SANS ESPOIR !
A VRAI DIRE, JE M'EN DOUTAIS...
GRAT
TOUS LES SPÉCIALISTES QUE J'AI CONSULTÉS M'ONT DIT LA MÊME CHOSE !... ENFIN J'AURAI ESSAYÉ... MERCI DE M'AVOIR ÉCOUTÉ...
CROYEZ BIEN QUE JE REGRETTE...

UN INSTANT, DOCTEUR !
?
!
84-3.

PEU APRÈS...
UN PEU DE VOTRE PEAU ? C'EST BIEN GENTIL, MESDEMOISELLES, MAIS ÇA NE SUFFIRA PAS ! IL ME FAUDRAIT DES CENTAINES DE DONNEURS COMME VOUS !

ON LES TROUVERA, DOCTEUR ! DE GRÉ OU DE FORCE !
...
!!

ET C'EST AINSI QUE...
DIX CENTIMÈTRES DE PEAU ?! NON MAIS, ÇA VA PAS ! ET PUIS QUI C'EST, CE TYPE ? JE NE LE CONNAIS MÊME PAS ?!
AH ! SUFFIT, HEIN ! ON BAISSE SON PANTALON ET ON NE HURLE PAS, SINON JE PASSE À VINGT !

ET MERCI ! MERCI POUR LUI !
MERCI ? ELLE EST BIEN BONNE, CELLE-LÀ ! VOUS NE M'AVEZ MÊME RIEN DEMANDÉ !
...JOUR APRÈS JOUR...

AUJOURD'HUI, NOUS EN AVONS RÉCOLTÉ PLUS DE DEUX MÈTRES VINGT, DOCTEUR !
OH !

MMH... C'EST BIEN, MAIS PAS ENCORE SUFFISANT ! IL M'EN FAUDRA ENCORE BEAUCOUP PLUS !
POUR LES PATIENTS DE L'HÔPITAL, NOUS SOMMES ARRIVÉS AU BOUT, AINSI QUE POUR LE PERSONNEL : ON A TOUS DONNÉ, MAIS IL Y A DES LIMITES !

JE SAIS. EN CE QUI ME CONCERNE, C'EST À PEINE SI JE PEUX ENCORE M'ASSEOIR !
VOUS N'ALLEZ TOUT DE MÊME PAS VOUS ARRÊTER EN SI BON CHEMIN !

ET LES AMBULANCIERS ? VOUS AVEZ ESSAYÉ LES AMBULANCIERS ?!
... ET PENSEZ AUSSI AUX VISITEURS !
BON SANG ! MAIS C'EST BIEN SÛR !

ET LES FAMILLES ! N'OUBLIEZ PAS LES FAMILLES !
COMPTEZ SUR MOI, DOCTEUR !
84.4

ET C'EST AINSI QU'UN BEAU JOUR...
ÉNONCEZ-LUI LE NOM DE TOUS LES DONATEURS, MADEMOISELLE GINETTE, PENDANT QUE JE LUI ENLÈVE SES BANDE-LETTES!
BIEN, DOCTEUR!
SGNIF!

MESSIEURS FERVAILLE ANDRÉ, BELGE, FAURE MICHEL, FRANÇAIS, GÄRDEBÖRG HAGAR, SUÉDOIS, KALEMBO JEAN, SÉNÉGALAIS, ROUSTON MAGIK, YOUGOSLAVE, BOTTARO LUCIANO, ITALIEN...

MONSIEUR YAKATSUMITA, JAPONAIS, SA FEMME ET SES SIX ENFANTS, ALI AKBAR KHALIB, SULTAN ARABE, SES DOUZE FEMMES ET SON ENFANT...

PADRESHI BALOOR, HINDOU, AIGLE ROUGE, DE LA TRIBU DES SIOUX, AMÉRIQUE DU NORD...

HAHA
OUAAHAHAHAHAHAHA
HOU HOU HOU
HI!!!!... HI!!!
?

OUAHA HAHAHA

IL EST RETOURNÉ LÀ-DEDANS ?

BEN OUI ! QUE VOULEZ-VOUS QU'IL FASSE D'AUTRE ? LES GENS DEVIENNENT MALADES DE RIRE EN LE VOYANT !
ET LE PIRE, C'EST QU'IL RISQUE DE PERDRE SON EMPLOI ! IL NE FAIT PLUS FUIR LES RATS, IL LES AMUSE !
84.5

Une fois ça va; deux, c'est trop!

EXCUSEZ-MOI, MONSIEUR ! POURRIEZ-VOUS ME DIRE CE QUI S'EST PASSÉ ?

UN PAUVRE MEC VIENT DE SE JETER DU HAUT DE CE BUILDING ! N'APPROCHEZ PAS, MADAME, IL N'EST PAS BEAU À VOIR !

LAISSEZ-MOI PASSER ! MAIS LAISSEZ-MOI PASSER ! MA FILLE FINIT SES ÉTUDES DE MÉDECINE ! ELLE POURRA SÛREMENT FAIRE QUELQUE CHOSE POUR LUI !
GABY ! NOOOON !!
?

LE DESTIN DONNE À TA FILLE UNE CHANCE UNIQUE DE S'EXERCER, ET TOI, TU FAIS LA TÊTE !
VOIR CE TYPE ÉTALÉ SUR LE PAIN DE MIE, LA SALADE, LE SAUCISSON, LES COURGETTES ET LES ÉPINARDS SURGELÉS ME REND MALADE !

NATHAAAALIIIIE !
OUI MAMAN ?

MAIS ! QU'EST-CE QUE C'EST QUE ÇA ?!
ÇA VIENT JUSTE D'ARRIVER ! C'EST TOMBÉ DU DOUZIÈME ÉTAGE !
C'EST PAS TOMBÉ, IL A SAUTÉ !

MAIS, MAMAN, QUE VEUX-TU QUE J'EN FASSE ? IL EST MORT !
MORT ?!
ÇA, C'EST BIEN TON PÈRE ! IL NE VÉRIFIE JAMAIS RIEN ! MÊME PAS LES DATES DE CONSERVATION ! ALORS LÀ, TU PENSES...
IL FAUT LE RAPPORTER LÀ OÙ VOUS L'AVEZ TROUVÉ, OU ON RISQUE D'AVOIR DE SÉRIEUX ENNUIS !

TU ENTENDS, ALBERT ?
ON NE PEUT TOUT DE MÊME PAS ALLER BÊTEMENT LE REPOSER SUR LE CIMENT, SOUS PRÉTEXTE QUE NOUS NOUS SOMMES TROMPÉS !

QUI TE PARLE DE LE REPOSER BÊTEMENT SUR LE CIMENT ?
SURTOUT PAS ! VAS-Y SEUL, ET TÂCHE DE PASSER INAPERÇU !
CHÉRIE, JE NE TE SUIS PAS !
IL Y VA DU BONHEUR DE TA FILLE !

BLAF !

UEST-CE QUI S'EST PASSÉ ?
EST LE MEC DE TOUT À L'HEURE ! A REMIS ÇA !
ENCORE ? MAIS COMMENT A-T-IL FAIT POUR REMONTER LES ESCALIERS DANS SON ÉTAT ?
A PRIS L'ASCENSEUR, SANS DOUTE !
TOUT DE MÊME ! SE SUICIDER DEUX FOIS LE MÊME JOUR, FAUT LE FAIRE !
VOUS CROYEZ ?

CHÉRIE, JE TIENS À T'AVERTIR QUE SI TU NE JURES PAS QU'À PARTIR DE MAINTENANT TU N'INTERVIENS PLUS DANS LES ÉTUDES DE TA FILLE, LE PROCHAIN QUI SAUTERA, CE SERA MOI...
JE TE LE JURE, ALBERT, JE TE LE JURE...

L'heure, c'est l'heure

ET HOP!
BIP! BIP!
TCHOF

BIP! BIP! BIP! BIP.
CINQ HEURES, DÉJÀ! JE SUIS DÉSOLÉE, J'AI FINI MON SERVICE!
?

AH ! QUAND MÊME !
IL NE FAUT PAS EN VOULOIR À MA COLLÈGUE...

...MAIS SELON LES NOUVELLES CONVENTIONS PASSÉES ENTRE LES SYNDICATS ET LA DIRECTION, LES HEURES SUPPLÉMENTAIRES NE SONT PLUS PAYÉES...
SPROUTCH
LES HEURES, D'ACCORD, MAIS LES MINUTES...

VOULEZ-VOUS QUE JE VOUS DISE ? JE HAIS LES SYNDICATS !
PLAIGNEZ-VOUS ! ON VOUS A ABANDONNÉ AVEC UNE SERINGUE DANS LES FESSES ! MOI, ON ÉTAIT OCCUPÉ À ME FAIRE UN LAVEMENT !
MACOIS · CAUVIN · 93

Madame est servie!

ET PERSONNE NE L'A ENCORE REMISE À SA PLACE ?!
C'EST QUE MADAME LEPOUTRE N'EST PAS N'IMPORTE QUI...

ELLE EST L'ÉPOUSE DU DOCTEUR J.R. LEPOUTRE, LE PRÉSIDENT DU CONSEIL D'ADMINISTRATION DE CET HÔPITAL. TU VOIS CE QUE JE VEUX DIRE...
JE VOIS...

ALORS, ELLE SE CROIT AUTORISÉE À NOUS SONNER TOUTES LES CINQ MINUTES POUR UN OUI OU POUR UN NON...

ELLE NOUS TRAITE COMME SES ESCLAVES, ET SI L'UNE D'ENTRE NOUS HAUSSE LE TON, ELLE MENACE AUSSITÔT D'EN RÉFÉRER À SON MARI, TU SAISIS ?
JE SAISIS!

C'ÉTAIT QUOI, CETTE FOIS-CI ?
ELLE VOULAIT UN VERRE D'EAU !

DRRRINNG !
OH NOOON !

LAISSEZ ! J'Y VAIS !
EXCELLENTE IDÉE ! C'EST LA MEILLEURE FAÇON DE TE RENDRE COMPTE...
100

BONJ...
TIENS! VOUS ÊTES NOUVELLE ?

NON, JE VIENS JUSTE DE PRENDRE MON SERVICE, ET...
TRÊVE DE BAVARDAGES! VEUILLEZ REMONTER MON OREILLER...

COMME CECI ?
PLUS HAUT !
COMME CELA ?
PLUS BAS !

DITES DONC, VOUS N'ÊTES PAS TRÈS DOUÉE, MA PETITE ...
MAIS ...

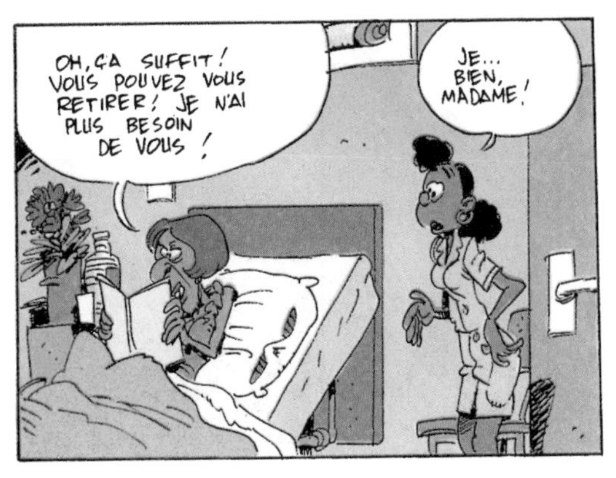
OH, ÇA SUFFIT ! VOUS POUVEZ VOUS RETIRER ! JE N'AI PLUS BESOIN DE VOUS !
JE... BIEN, MADAME !

ATTENDEZ ! TANT QUE VOUS ÊTES LÀ, OUVREZ CETTE FENÊTRE ! ON MEURT DE CHAUD ICI !

ÇA IRA COMME ÇA ?
...
ÇA POURRA ALLER ...

AU REVOIR, MADAME !...
C'EST ÇA ! AU REVOIR !

ATTENDEZ !

TOUT COMPTE FAIT, REFERMEZ CETTE FENÊTRE ! J'AI FROID !

CE SERA TOUT, MÉDEME ?
AH, JE VOUS AVERTIS ! NE LE PRENEZ PAS SUR CE TON AVEC MOI ! VOUS IGNOREZ QUI JE SUIS, MA PETITE !

PAS DU TOUT ! VOUS ÊTES MÉDÊME L'ÉPOUSE DU DOCTEUR J.R. LEPOUTRE, PRÉSIDENT DU CONSEIL D'ADMINISTRATION DE CET HÔPITAL !
C'EST BIEN ! À PARTIR DE MAINTENANT, TÂCHEZ DE VOUS EN SOUVENIR !
BIEN, MÉDÊME !

ALORS ?
VOUS AVIEZ RAISON ! ELLE EST TOUT SIMPLEMENT INSUPPORTABLE !...
NOUS T'AVIONS AVERTIE !

L'UNE DE NOUS DEUX EST DE TROP DANS CE SERVICE ! OU ELLE PART, OU JE PARS !
TU PEUX FAIRE TES VALISES ! AVEC ELLE, TU N'AS AUCUNE CHANCE !

ON PARIE ?
ALLÔ ! LE SERVICE DES AMBULANCES ? ...

OUAIS !? AH, C'EST TOI, GINETTE ?... NON, C'EST PLUTÔT CALME AUJOURD'HUI... TE RENDRE UN PETIT SERVICE ?... OUAIS, BIEN SÛR !... VAS-Y, JE T'ÉCOUTE !...
?

OUAHAHAHAHA !
O.K., GINETTE, ON ARRIVE !

VIENS, PAULO, ON VA SE MARRER !
OÙ ÇA ?
JE T'EXPLIQUERAI EN ROUTE !

PEU APRÈS...
GINETTE, TU ES DEVENUE COMPLÈTEMENT FOLLE !
MAIS NON ! ÇA MARCHERA, VOUS VERREZ !
ALORS ! COMMENT TU ME TROUVES ?
TOUT À FAIT RIDICULE, POURQUOI ?

MAIS, ET NOUS, DANS TOUT ÇA ?
VOUS, VOUS N'AVEZ RIEN VU, RIEN ENTENDU...

DRRIIIING
ÇA Y EST, ELLE APPELLE ! PAULO, TU AS LA RADIO-CASSETTE ?
OUAIS !
PARFAIT ! ON Y VA !

???!

MAIS! QUE! OOOOOH! OOOOH!

RHÔÔÔ! RHÔÔÔÔ!

J.R., MON CHÉRI, JE VOUS SOMME DE DESCENDRE DANS MA CHAMBRE! ...IL N'Y A PAS DE MAIS QUI TIENNE!

REVENEZ ICI ! JE VOUS ORDONNE DE REVENIR ICI !
100
4

RHÔÔÔ...
RHÔÔÔÔ !

J.R. ! VOUS, ENFIN !
MAIS ENFIN, MA CHÉRIE, POURQUOI CETTE AGITATION !? QUE SE PASSE-T-IL ?!

IL SE PASSE QUE VOTRE PERSONNEL EST VENU DANSER LA LAMBADA DANS MA CHAMBRE !
LA... LA LAMBADA ?!

LA LAMBADA !... VOUS SAVEZ, CETTE NOUVELLE DANSE ET SES FROTTE-FROTTE OBSCÈNES QUI PASSENT SANS ARRÊT À LA TÉLÉVISION...
AH OUI ! LA LAMBADA !...

SI VOUS NE ME CROYEZ PAS, ALLEZ DONC LEUR DEMANDER !...
J'Y VAIS, MA CHÉRIE, J'Y VAIS...

LA... LA QUOI ?
LA LAMBADA !
VOUS PLAISANTEZ, DOCTEUR !

HÉLAS, NON. ELLE A L'AIR TRÈS SÛRE D'ELLE...
AH... AH, BON ?

HUM !...

ÇA... LUI ARRIVE SOUVENT ?
DE... DE QUOI DOCTEUR ?
CES TROUBLES PSYCHIQUES ?
BEN NON ! C'EST LA PREMIÈRE FOIS...

JE LA SAVAIS MALADE DES NERFS... MAIS À CE POINT !..

ALORS !? J'OSE ESPÉRER QUE VOUS ALLEZ SÉVIR !?
SÉVIR ! SÉVIR EST UN BIEN GRAND MOT... JE CROIS QUE NOUS ALLONS SIMPLEMENT VOUS CHANGER DE SERVICE ...
HRUM

ME CHANGER DE QUOI ?!
DE SERVICE, MA CHÈRE ! UN SERVICE QUI SERA, DISONS... PLUS APPROPRIÉ EN CE QUI CONCERNE EUH... VOTRE CAS !...

VOUS NE M'AVEZ PAS CRUE ?
MAIS SI !
MAIS NON !
MAIS SIIII !

ILS ÉTAIENT LÀ, JE VOUS DIS ! BRUNS COMME DES BRÉSILIENS ! ELLE AVAIT UNE JUPETTE !
GLP
INFIRMIÈRES !

...ILS AVAIENT DES CHEMISES À FLEURS ET DES PANTALONS BLANCS ET ILS FAISAIENT DES FROTTI-FROTTA !..
CONDUISEZ-LA AU SERVICE PSYCHIATRIQUE, JE VOUS PRIE...
À VOTRE SERVICE, DOCTEUR !

PLUS TARD...
OUFFF ! HÉ BEN, DIS DONC !
JE VOUS AVAIS BIEN DIT QUE ÇA MARCHERAIT !
DRING DRING

ALLÔÔÔ? OUIII ? OUI... AH, NON! DÉBROUILLEZ-VOUS TOUTES SEULES ! SALUT !
QUI EST-CE ?

LES COPINES DU SERVICE PSYCHIATRIQUE ! PAS CONTENTES DU TOUT, LES FILLES ! ELLES DEMANDENT SI ON N'A PAS UN AUTRE TRUC POUR S'EN DÉBARRASSER !
DIS-LEUR D'ATTENDRE L'ÉTÉ PROCHAIN ! D'ICI LÀ, IL Y AURA PEUT-ÊTRE DU NOUVEAU AU TOP 50 !

Le repos, c'est sacré

IL FAUT LE LAISSER TRANQUILLE! LE DOCTEUR A DIT QU'IL N'EN AVAIT PLUS QUE POUR UNE HEURE OU DEUX...
CLONK..

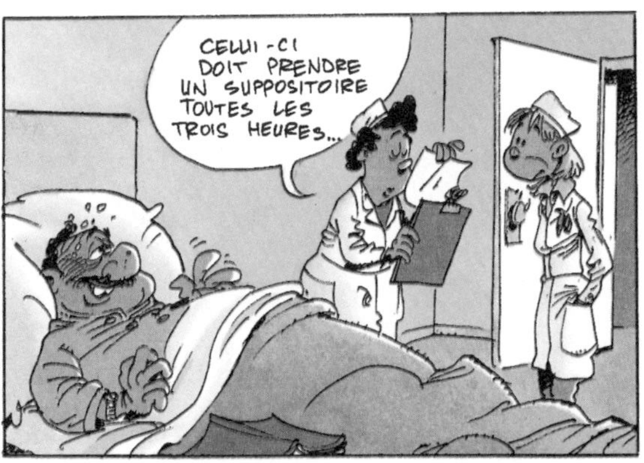
CELUI-CI DOIT PRENDRE UN SUPPOSITOIRE TOUTES LES TROIS HEURES...

ET LÀ, ENFIN, UN CACHET LE SOIR VERS HUIT HEURES...

TU POURRAS RETENIR TOUT ÇA ?
NE T'INQUIÈTE PAS...
OH !...
QU'EST-CE QU'IL Y A ?

AAAOUF
LE TYPE DE LA CHAMBRE 72 !
LE DOCTEUR DISAIT QU'IL N'EN AVAIT QUE POUR UNE HEURE OU DEUX !...

MAIS **C'EST** LE DOCTEUR ! IL PROFITE TOUJOURS D'UN LIT QUI SE LIBÈRE POUR PIQUER UN PETIT ROUPILLON ...
MMMGNN
MGN MGN
GN
GRAT
86

La vérité, rien que la vérité

QU'UNE COLLISION ENTRE UN TRAIN DE MARCHANDISES ET UN EXPRESS AIT LIEU QUELQUE PART DANS LE CAUCASE...
CHOM CHOM

...ON VOUS FOURNIT UN TAS D'EXPLICATIONS!
D'APRÈS LES PREMIERS ÉLÉMENTS DE L'ENQUÊTE, L'ACCIDENT SERAIT DÛ À UNE ERREUR DE SIGNALISATION...

QU'UN AVION S'ÉCRASE QUELQUE PART DANS LES ANDES...
MANGE!

ON VOUS FOURNIT UN TAS D'EXPLICATIONS !
APRÈS L'EXAMEN DE LA BOÎTE NOIRE, IL S'AGIRAIT D'UNE DÉFAILLANCE TECHNIQUE...

MAIS QUE DES DIZAINES DE PERSONNES ENTRÉES DANS DES HÔPITAUX POUR Y SUBIR DES OPÉRATIONS BÉNIGNES DÉCÈDENT SOUDAIN MYSTÉRIEUSEMENT ....

ON NE VOUS FOURNIT AUCUNE EXPLICATION...
?
?
?
?
?
?
88

BIEN SÛR, DES PROCHES PARENTS OU AMIS DU DÉFUNT ONT ESSAYÉ DE SAVOIR... ILS ONT D'ABORD QUESTIONNÉ LES INFIRMIÈRES...
JE NE COMPRENDS PAS! ON DEVAIT JUSTE LUI ENLEVER UNE VERRUE À LA PLANTE DU PIED!
JE NE SAIS RIEN!
VOUS AVEZ POURTANT PARTICIPÉ À CETTE INTERVENTION...
OUI, MAIS JE NE SAIS RIEN! LAISSEZ-MOI TRANQUILLE!
PUIS L'ANESTHÉSISTE...
IL Y A PLUS DE DIX ANS QUE JE PRATIQUE, MOI, MONSIEUR!
ME TROMPER DANS LES TUYAUX?
MOI?

CE N'EST TOUT DE MÊME PAS VOUS QUI ALLEZ M'APPRENDRE MON MÉTIER !
NON MAIS DES FOIS !

ET PUIS ENFIN, LE CHIRURGIEN !
C'EST À QUEL SUJET ?
AU SUJET DU DÉCÈS D'UN AMI IL Y A DEUX JOURS, SUITE À UNE OPÉRATION CHIRURGICALE ...
LA VERRUE ?

EXACT ! ET ...
DÉSOLÉE ! LE DOCTEUR LÜGER N'EST PAS LÀ !

MAIS ?
IL N'EST PAS LÀ, JE VOUS DIS !
QUAND POURRAI-JE LE RENCONTRER ?
IL FAUT PRENDRE RENDEZ-VOUS !
JE PRENDS !

...IL ME RESTE AU MOIS DE DÉCEMBRE UN JEUDI À 20 HEURES, ÇA VOUS VA ?
DÉ... DÉCEMBRE 89 ?
DÉCEMBRE 1997 ! QU'EST-CE QUE VOUS CROYEZ ? VOUS N'ÊTES PAS LE SEUL, SAVEZ VOUS !

BEAUCOUP SE DÉCOURAGENT ! D'AUTRES TIENNENT LE COUP, PERSÉVÈRENT...

JUSQU'AU JOUR OÙ, ENFIN...
PROFESSEUR LÜGER !
C'EST À QUEL SUJET ?

C'EST AU SUJET D'UN AMI, ERNEST MARIAUL, VOUS L'AVEZ OPÉRÉ IL Y A ENVIRON DEUX ANS...
AH OUI, LA VERRUE !

AIS ENFIN, OMMENT E FAIT-IL U'IL SOIT ...
UNE MALFORMATION CARDIAQUE SANS AUCUN DOUTE ! ELLES SONT PARFOIS TRÈS DIFFICILES À DÉCELER !
UNE MALFORMATION CARDIAQUE ; C'EST IMPOSSIBLE ! IL ÉTAIT BÂTI COMME UN ROC ! IL AVAIT UN COEUR DE VINGT ANS !
D'AILLEURS, IL AVAIT VINGT ANS !

JE REGRETTE ! C'EST POURTANT COMME CELA !...
JE REFUSE DE VOUS CROIRE ! JE VEUX VOIR SON DOSSIER !

JAMAIS, MONSIEUR ! QUE FAITES-VOUS DU...

... SECRET MÉDICAL ?!
ET VOILÀ ! LE MOT EST LÂCHÉ !

MALGRÉ CE MUR, ÉLEVÉ EN HÂTE À LA GLOIRE DU SILENCE, CERTAINS INSISTENT ENCORE !... ILS VEULENT SAVOIR ! SAVOIR À TOUT PRIX !

... ET VONT DÉPOSER PLAINTE CONTRE X ! C'EST LE DROIT DE TOUT CITOYEN !
VERRUE AVEC UN OU DEUX R ?
DEUX !

ALORS COMMENCE UNE LONGUE, LONGUE PROCÉDURE...

AVEC BATAILLES D'AVOCATS ET TOUT ET TOUT...*
* À VOS FRAIS, CELA VA DE SOI...

JUSQU'AU JOUR OÙ...
ALORS?
AFFAIRE CLASSÉE !
JE REGRETTE ! J'AI FAIT CE QUE J'AI PU !
VOILÀ LA FACTURE !
COMMENT ÇA, AFFAIRE CLASSÉE ?!

JE PROTESTE ! JE REFUSE ! JE VEUX VOIR MON DOSSIER !
ET LE SECRET DE L'INSTRUCTION, QU'EN FAITES-VOUS ?

À CE STADE, BEAUCOUP SE SONT DÉCOURAGÉS ! RARES SONT CEUX QUI, POUR CONNAÎTRE LA VÉRITÉ, ONT ÉTÉ JUSQU'AU BOUT...

OUI!!!?
J'AI UNE VERRUE À LA PLANTE DU PIED !
CE N'EST PAS GRAVE ! JUSTE UNE PETITE INTERVENTION DE RIEN DU TOUT...

C'EST LE PROFESSEUR LÜGER QUI VA SE CHARGER DE L'OPÉRATION ! C'EST UN GRAND SPÉCIALISTE...
ENFIN ! JE VAIS SAVOIR !...

PINCES !

...ET VIENT ENFIN LE JOUR OÙ IL SAIT ! OÙ IL CONNAÎT LA VÉRITÉ !... MAIS CE SECRET-LÀ, HÉLAS, IL L'A EMPORTÉ DANS LA TOMBE...
JULES DUPONT
BERCOVICI · CAUVIN.

Faudrait savoir

MA PETITE JEANNETTE, JE VOUS PRÉSENTE MONSIEUR PINCHART ! MONSIEUR PINCHART EST UN ARTISTE...
AH BON ?

IL NOUS PROPOSE, EN CETTE PÉRIODE DE FIN D'ANNÉE, DE VENIR DISTRAIRE BÉNÉVOLEMENT NOS MALADES...
AH ?! ÇA, C'EST GENTIL...

JE COMPTE SUR VOUS POUR LE CONDUIRE DE CHAMBRE EN CHAMBRE !
VOUS POUVEZ COMPTER SUR MOI, DOCTEUR !

SI VOUS VOULEZ BIEN, COMMENÇONS PAR CELLE-CI
VOLONTIERS.

MONSIEUR, CE MONSIEUR EST UN ARTISTE ! IL EST VENU POUR VOUS DISTRAIRE !
?

SI VOUS AVEZ BESOIN DE MOI, N'HÉSITEZ PAS À M'APPELER !
C'EST ÇA ! À TOUT À L'HEURE !
?

Allegro

AH! BRAVO!

?
BRA...
BLAF!

INFIRMIÈÈÈRE!
!

QU'EST-CE QUI LUI EST ARRIVÉ ?
OUI, MAIS...
JE PARIE QU'IL A ESSAYÉ DE VOUS APPLAUDIR !

JE M'EN DOUTAIS! VOYEZ-VOUS, LE FAIT DE VOULOIR APPLAUDIR CONSISTE À LANCER LA MAIN DROITE EN DIRECTION DE LA MAIN GAUCHE DANS L'INTENTION DE PRODUIRE UN BRUIT SEC, BRUIT QUE L'ON RÉPÈTE À VOLONTÉ SELON QUE...
ÇA, JE LE SAIS, MAIS...

IL N'A PLUS SA MAIN GAUCHE! ON L'EN A AMPUTÉ AVANT-HIER!

MONSIEUR LAMOTTE, J'AI UNE BONNE NOUVELLE POUR VOUS! JE VOUS AI AMENÉ UN ARTISTE! IL VA VOUS DISTRAIRE PENDANT QUELQUES MINUTES!

J'ESPÈRE QUE VOUS AVEZ VOS DEUX MAINS!
OUI. OUI, POURQUOI?

POUR RIEN ... ET MAINTENANT AMSTRAMGRAM PIKÉPIKÉKOLÉGRAM ...

ET HOP !
HOP QUOI ?

COMMENT ÇA, HOP QUOI ? QU'EST-CE QUE J'AI EN MAIN, LÀ, HEIN ?
QU'EST-CE QUE J'EN SAIS, MOI ?

?

INFIRMIÈRE !
VOILÀ, VOILÀ.

J'AI OUBLIÉ DE VOUS DIRE... SUITE À UN ACCIDENT, IL A ÉTÉ FRAPPÉ DE CÉCITÉ MOMENTANÉE... IL SERA OPÉRÉ DEMAIN MATIN...
VOUS AURIEZ TOUT DE MÊME PU M'EN AVERTIR...

JE CROYAIS QUE VOUS ALLIEZ CONTINUER À JOUER BÊTEMENT DU VIOLON, MOI...
AVEC CELUI-CI, VOUS AUREZ PLUS DE CHANCE...
IL VOIT CLAIR ?
BIEN SÛR !
ET IL A SES DEUX MAINS ?
JE VOUS LE JURE.
BON !

PETIT PAPAA NOËËËL, QUAND TU DESCENDRAS DU CIEEEEL...
?

EUH DITES, J'OUBLIAIS DE VOUS DIRE, IL EST SOURD!

DITES, VOUS LE FAITES EXPRÈS OU QUOI ?
LE COUP D'AVANT, VOUS ÉTIEZ PASSÉ À LA PRESTI-DIGITATION ! FAUDRAIT SAVOIR, TOUT DE MÊME...

AVEC CELUI-CI, VOUS AVEZ TOUTES VOS CHANCES !
VOUS ÊTES CERTAINE ?
IL A DEUX BRAS DEUX JAMBES. IL VOIT, IL ENTEND, IL PARLE...
ÇA VA ! ÇA VA ! JE VAIS METTRE LE PAQUET !

CLING CLING

BONZOUR, MOSSIEUR BONZOUR, MÉDÈME !
(POUET)
CLING CLING
CLING
?

FICHEZ-MOI LE CAMP ! JE NE VEUX VOIR PERSONNE ! PERSONNE !!!
BOOHOUHOUHOU
CLING CLING CLING
?

PFF ! PFF ! MAIS QU'EST-CE QU'IL A ?
UNE DÉPRESSION NERVEUSE !

DOOUUAAAAARG

AU DÉPART, ÇA PARTAIT D'UNE BONNE INTENTION, ET PUIS SOUDAIN, SES NERFS ONT LÂCHÉ !
QU'EST-CE QUI SE PASSE ? QU'EST-CE QUI SE PASSE ?
QU'EST-CE QU'ELLE DIT ? QU'EST-CE QU'ELLE DIT ?

La tête et les jambes

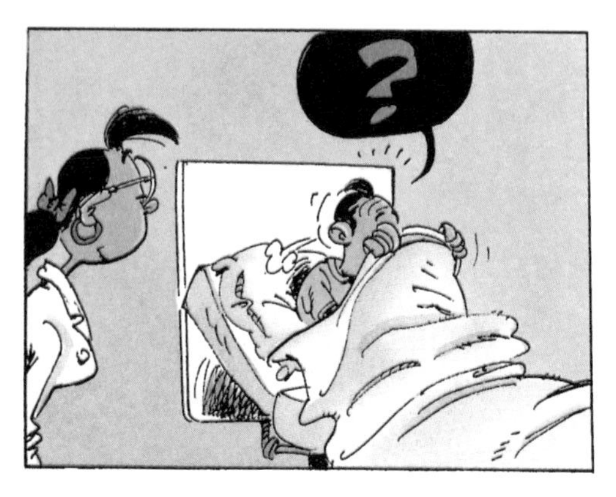
?

JE N'EN AI TOUJOURS QU'UNE !
ÇA, C'EST VOUS QUI LE DITES !

?
?
?
?

MAIS !... JE NE VOIS RIEN !
CE N'EST PAS ÉTONNANT ! ON VOUS A GREFFÉ LA JAMBE GAUCHE DE L'HOMME INVISIBLE !

DE L'HOMME INVISIBLE ?!
IL EST MORT D'UNE CRISE CARDIAQUE IL Y A DEUX JOURS ! ON LUI A PRÉLEVÉ TOUS LES MEMBRES ET ORGANES INTÉRESSANTS...

TOUT ÉTAIT BON, SAUF LE COEUR ÉVIDEMMENT !

INCROYABLE !
N'EST-CE PAS ?

JE PEUX ALLER FAIRE UN PETIT TOUR DANS LE JARDIN ?
BIEN SÛR !

MMMMFF

YOUPEEEEEEE?!!

YAHOOOUUUU

OLÉ !

TA-DAAA!

?
BZZZZZ

?
?
?
BZZZZZZZZZZ

?
PFFFF
HA HA HA

J'AI COMPRIS ! C'ÉTAIT POUR UNE ÉMISSION DE "CACHE-CACHE-CAMÉRA" ?!?
OUI HIHIHIHI
HI HI HI HI HI HI
HOU HOU
MAIS ALORS... LA.. LA JAMBE...

Y'EN A PAAAS!
HAHAHA!!
OUAHAHAHAHAHAHA
BLAF

AVOUEZ QU'ON VOUS A BIEN FAIT MARCHER, HEIN?
HI HI HI HI HI!
J'AVOUE! MÊME QU'À UN MOMENT, J'Y AI VRAIMENT CRU!
SNIF!

C'est malin!

?

DOCTEUR, QUE S'EST-IL PASSÉ? JE VIENS DE CROISER LA NOUVELLE! ELLE SORTAIT D'ICI EN PLEURANT!
JE L'AI VIRÉE!

CE MATIN, NOUS AVONS REÇU UN COUP DE FIL VENANT D'UNE PLAGE SITUÉE À QUELQUES KILOMÈTRES D'ICI, ET NOUS SIGNALANT QU'UN BAIGNEUR AVAIT MARCHÉ SUR UN OURSIN...

AVEC MISSION DE LUI DONNER LES PREMIERS SOINS ET DE LE RAMENER ICI ENSUITE...
VROM

OUI, ET ALORS ?
ALORS?!

ELLE A RAMENÉ L'OURSIN !
92

R.C.

Visite express

AU FOND DU COULOIR À DROITE, MONSIEUR BEDFORD ! LE DOCTEUR N'EST PAS ENCORE LÀ, MAIS IL NE VA PAS TARDER...
AH...

MERCI !
MAIS DE R... OH !! UN AUTOGRAPHE ! CHIC !

MINET
TOC TOC
ENTREZ !

OH ! BONJOUR, MONSIEUR BEDFORD ! MAIS ENTREZ DONC ! LE DOCTEUR MINET N'EST PAS ENCORE ARRIVÉ...
... MAIS IL NE VA PAS TARDER !

EN L'ATTENDANT, VOUS POUVEZ TOUJOURS VOUS DÉSHABILLER...
NOUS ALLONS PROCÉDER AUX PREMIÈRES ANALYSES !

ÇA IRA COMME CELA ?
LE CALEÇON AUSSI, MONSIEUR BEDFORD! DANS NOTRE MÉTIER, NOUS AVONS L'HABITUDE DE VOIR DES HOMMES NUS RASSUREZ-VOUS!
HI HI HI HI HI HI

BIEN! VOULEZ-VOUS MONTER SUR LA BALANCE ?...

ÇA FAIT COMBIEN ?
EUH, QUATRE-VINGT-DIX KILOS ET DEUX CENT VINGT GRAMMES ...
NTÉ
NOTE, BERTHE!

QUATRE-VINGT-DIX KILOS DEUX CENT VINGT GRAMMES !...
DRINN DRRINN

C'EST LA STANDARDISTE ! LE DOCTEUR MINET ARRIVE !
QUOI ? DÉJÀ ?

EXCUSEZ-NOUS, MONSIEUR BEDFORD ! NOUS DEVONS VOUS LAISSER !
À PRÉSENT, C'EST LE DOCTEUR QUI VA S'OCCUPER DE VOUS !
AU REVOIR, MONSIEUR BEDFORD !
AU R... REVOIR ...

?
CLAP

OH ! BONJOUR, MONSIEUR BEDFORD...

COMMENT ? DÉJÀ DÉSHABILLÉ ? DITES DONC, VOUS NE PERDEZ PAS DE TEMPS, VOUS...
CE SONT VOS INFIRMIÈRES ! ELLES ONT DÉJÀ PROCÉDÉ AUX... PREMIÈRES ANALYSES !

LES INFIRMIÈRES ? QUELLES INFIRMIÈRES ?

ALORS ! COMMENT IL EST ?!
FORMIDABLE ! ...

Blanc de poulet

TIENS, DONC !
J'AI TOUT ESSAYÉ ! LA GENTILLESSE, LES MENACES, RIEN A' FAIRE !
ET EN PLUS, IL A ÉTÉ FRANCHEMENT GROSSIER !

AH OUAIS !?
J'AI ESSAYÉ D'ABORD LA DOUCEUR, PUIS LA MENACE, RIEN N'Y A FAIT !
ET EN PLUS, IL SE FICHE DE MOI !

LAISSEZ TOMBER, MA PETITE LISETTE ! JE VAIS M'EN OCCUPER !
JE VOUS AVERTIS ! CE NE SERA PAS FACILE !

LAISSE TOMBER, CHARLIE ! JE M'EN OCCUPE !
JE VOUS PROMETS BIEN DU PLAISIR !

ALORS, MONSIEUR BODART, ON A ENCORE DÉCIDÉ DE NE PAS MANGER ?...
ALLEZ VOUS FAIRE CUIRE UN ŒUF D'AUTRUCHE !

ALORS, FREDDY ! TU N'ES PAS ENCORE DÉCIDÉ À CRACHER LE MORCEAU ?...
VA TE FAIRE SAUTER LA CERVELLE, SALE FLIC !

FAITES ATTENTION, MONSIEUR BODART, JE DÉTESTE QU'ON ME PARLE SUR CE TON ! ALORS ? ON PREND SA PÂTÉE, OUI OU NON ?!
NAN ! JE VOUS AI DÉJÀ DIT D'ALLER VOUS FAIRE CUIRE UN OEUF !

HOLÀ ! FAIS GAFFE, FREDDY ! J'AI HORREUR QU'ON ME CAUSE SUR CE TON ! ALORS ! CE SAC, TU LE VIDES, OUI, OU..?
BLEB BLEB BLEB BLEB

PAF PAF PAF PAF PAF
AAAH ! NON ! ASSEZ !
VOUS ALLEZ MANGER ?
OUI !
PLUS FORT !
OUIIII !...
!

PAF
PAF
PAF
PAF
PAF
AAARGH! NON! VOUS N'AVEZ PAS LE DROIT!
JE VAIS ME GÊNER, TIENS!
AÏE!
ASSEZ! JE VAIS PARLER!
JURÉ ?
JE LE JUUURE!..

APPORTEZ-LUI UN PLATEAU SUPPLÉMENTAIRE! JE SUIS SÛRE QUE MONSIEUR MEURT DE FAIM AUJOURD'HUI!..
C'EST VRAI ?
EFFECTIVEMENT! JE CROIS QUE J'AURAI ENCORE UN PETIT CREUX!

F'EST ARTHUR QUI A FAIT LE COUP DE LA BIVOUTERIE! MOI, VE FEVAIS LE GUET ET PATRICK F'OCCUPAIT DU COFFRE! APRÈS, V'AI ÉTÉ PLANQUER LA VOITURE, ET ARTHUR IL....
TAC!! TAC TAC
PAS SI VITE!
...ET QUESTIONNE-LE AUSSI SUR L'AFFAIRE DE LA B.C.P. À MARSEILLE! JE PARIE QU'IL A PLEIN DE CHOSES À RACONTER!

À DEMAIN, MESDEMOISELLES ! EN CAS DE PROBLÈME, N'HÉSITEZ PAS À ME TÉLÉPHONER ! JE SUIS CHEZ MOI CE SOIR...

BIEN, MADAME !

Tic tic tic...

?
AGA! AGA!

AGA! AGA!

ENTREZ, LE DOCTEUR VOUS ATTEND...
MERCI, MADEMOISELLE...

UN PEU PLUS TARD...
AU SUIVANT !

AGNA, AGNA, AGNA !
PLAF PLAF PLAF

95

AGNA AGNAGNA AGNA !
PLAF PLAF PLAF

ENTREZ, LE DOCTEUR VOUS ATTEND !
MERCI !

PFFFFFF...

PLUS TARD...
AU REVOIR, MADEMOI-SELLE !
C'EST ÇA ! AU REVOIR !
ALLEZ ME CHERCHER LE SUIVANT, AGNÈS !

KROUÉÉÉT POUET POUÉÉT!
EUH... IL N'Y EN A PLUS, DOCTEUR! C'ÉTAIT LE DERNIER...

HEM! POURRAIS-JE VOUS POSER UNE PETITE QUESTION, DOCTEUR?
MAIS BIEN SÛR! ENTREZ DONC!
KROUET KROUET POUET POUET
EST-CE QUE CES GENS AFFLIGÉS DE CE GENRE DE TICS NERVEUX SONT VRAIMENT GUÉRISSABLES?
MAIS BIEN SÛR!

BOOGA BOOGA BOOGA BOOGA
BONK BONK BONK